D1498328

ALDÉBARAN

TAURUS

Première photo de la planète Bételgeuse-6
prise par la sonde automatique « Neil Armstrong »
en 2142.

LEO

BETELGEUSE

3. L'EXPÉDITION

DARGAUD

PARIS • BARCELONE • BRUXELLES • LAUSANNE • LONDRES • MONTREAL • NEW YORK • STUTTGART

LES MONDES D'ALDÉBARAN

TITRES DISPONIBLES :

CYCLE 1 : ALDÉBARAN
1/LA CATASTROPHE
2/LA BLONDE
3/LA PHOTO
4/LE GROUPE
5/LA CRÉATURE

ALDÉBARAN : L'INTÉGRALE

CYCLE 2 : BÉTELGEUSE
1/LA PLANÈTE
2/LES SURVIVANTS
3/L'EXPÉDITION
4/LES CAVERNES

À PARAÎTRE :
1 TOME

TITRES DISPONIBLES DU MÊME AUTEUR :

TRENT (8 volumes) - scénario RODOLPHE
KENYA (3 volumes) - scénario RODOLPHE et LEO
DEXTER LONDON (2 volumes) - dessin GARCIA

www.aldebaran.ws

www.dargaud.com

© **DARGAUD 2002**
Tous droits de traduction, de reproduction et d'adaptation strictement réservés pour tous pays.
Dépôt légal : janvier 2005 • ISBN 2-205-05231-4
Imprimé en France par *Partenaires-Livres®* (JL)

TOUT EST PRÊT POUR LE DÉPART DE NOTRE EXPÉDITION. NOUS ATTENDONS SEULEMENT LE RETOUR DE STEVE ET INGE QUI SONT ALLÉS AVEC L'AÉRO-JEEP CHERCHER LES DEUX PERSONNES QUI REPRÉSENTERONT LE "GROUPE DU CANYON".

LES REPRÉSENTANTS DE L'AUTRE GROUPE SONT LEILAH NAKAD, L'EX-COMMANDANT DU "TSIOLKOWSKY," ET LE BIOLOGISTE TOSHIRO MATSUDA.

NOUS ALLONS DESCENDRE LA RIVIÈRE POUR ESSAYER DE COMPRENDRE UN PEU MIEUX LES IUMS. SONT-ILS VRAIMENT AUSSI INTELLIGENTS QUE LES HUMAINS, COMME LE PRÉTEND LE "GROUPE DU DÉSERT"?

L'ENJEU EST ÉNORME: SI LA RÉPONSE EST AFFIRMATIVE, LE PROJET DE COLONISATION DE BÉTELGEUSE DEVRA TOUT SIMPLEMENT ÊTRE ANNULÉ.

"L'AUTRE JOUR, TOSHIRO M'A RACONTÉ L'INCIDENT QUI A TRANSFORMÉ LE COMPORTEMENT DES IUMS: AMICAUX AU DÉPART, ILS SONT DEVENUS TRÈS AGRESSIFS, NE PERMETTANT PLUS QU'ON LES APPROCHE."

"TOUT A COMMENCÉ AVEC UNE MALHEUREUSE TENTATIVE — CONTRE L'AVIS D'UNE PARTIE DE L'ÉQUIPE — D'ATTRAPER UN IUM AFIN DE LE SOUMETTRE À UN EXAMEN PLUS APPROFONDI."

"L'ANIMAL A RÉSISTÉ AVEC VIOLENCE ET, COMME LES IUMS POSSÈDENT UNE FORCE PHYSIQUE HORS DU COMMUN, IL AURAIT PU Y AVOIR DES BLESSÉS GRAVES..."

LEO ①

"...JUSQU'À CE QU'UN DES HOMMES TIRE SUR L'IUM ET LE TUE."

PAW

IL M'A ATTAQUÉ !

OH, MON DIEU !...

ON NE VA PAS FAIRE TOUT UN DRAME D'UNE BÊTE TUÉE ! D'AUTANT PLUS QUE MAINTENANT NOUS ALLONS POUVOIR LA DISSÉQUER POUR L'ÉTUDIER. C'EST CE QUE NOUS VOULIONS, NON ?

DEPUIS LA MORT DE CET IUM, TOUTE TENTATIVE D'APPROCHE DÉCLENCHE INVARIABLEMENT DE LA PART DE SES CONGÉNÈRES UNE VIOLENTE RÉACTION QUI EMPÊCHE...

AH NON ! JE N'ACCEPTE PAS QUE CET ÉNERGUMÈNE VIENNE AVEC NOUS !

CE TUEUR D'IUM VA TOUT FAIRE CAPOTER !

C'EST TOI L'ÉNERGUMÈNE, TOSHIRO ! SI TU NE VEUX PAS DE MA COMPAGNIE, C'EST SIMPLE, TU DÉGUERPIS. PARCE QUE MOI, JE SERAI DE LA PARTIE !

"ON A FINI PAR CALMER TOSHIRO ET LUI FAIRE COMPRENDRE QUE LE GROUPE DU CANYON AVAIT LE DROIT DE CHOISIR QUI ILS VOULAIENT POUR PARTICIPER À L'EXPÉDITION."

VOICI GEORGE DIXON. IL EST BIOLOGISTE, LUI AUSSI.

IL FAUT QUE JE VOUS DISE D'EMBLÉE UNE CHOSE, MADEMOISELLE : POUR MOI, VOUS ÊTES TROP JEUNE ET INEXPÉRIMENTÉE. JE NE VOUS RECONNAIS AUCUNE AUTORITÉ POUR COMMANDER QUOI QUE CE SOIT !

J'APPRÉCIE VOTRE FRANCHISE, MONSIEUR. MAIS SUITE À UN REGRETTABLE ACCIDENT, J'AI HÉRITÉ DU COMMANDEMENT DE LA MISSION DE RECONNAISSANCE. C'EST AINSI. JE COMPTE L'ASSUMER, QUE CELA VOUS PLAISE OU NON !

HUM... VOUS ÊTES JOLIE QUAND VOUS VOUS FÂCHEZ, VOUS SAVEZ...

2

4

UNE DERNIÈRE CHOSE : VOUS N'AVEZ AUCUNE CHANCE DE PARTICIPER AUX DISCUSSIONS FUTURES SUR LA VIABILITÉ DE LA COLONISATION DE BÉTEL-GEUSE. JE M'Y OPPOSERAI FAROUCHEMENT.

NE VOUS LAISSEZ PAS IMPRESSIONNER PAR LUI, KIM. IL CHERCHE SEULEMENT À VOUS DÉSTABILISER...

"ET C'EST DANS CE CLIMAT EXÉCRABLE QUE, TRACTÉS PAR L'AÉROJEEP, NOUS SOMMES PARTIS. AVANT MÊME QUE NOTRE EXPÉDITION NE COMMENCE, J'AI DÉJÀ DES DOUTES QUANT À SES POSSIBILITÉS DE SUCCÈS. C'EST DÉMORALISANT."

OK. ILS SONT DÉJÀ LOIN, NOUS POUVONS Y ALLER...

QUEL DÉSAGRÉABLE PERSONNAGE, CE DIXON ! TOSHIRO M'A DIT QU'IL EST LE FILS DU PRINCIPAL INVESTISSEUR DU PROJET BÉTELGEUSE. C'EST POUR ÇA QUE TOUT LE MONDE LE CRAINT.

OUI, JE CROIS QUE L'AMBIANCE VA ÊTRE UN PEU LOURDE... C'EST DOMMAGE, PARCE QUE ÇA POURRAIT ÊTRE UNE EXPÉRIENCE FASCINANTE, DÉCOUVRIR UNE PLANÈTE INCONNUE EN DESCENDANT UNE RIVIÈRE DANS UN RADEAU !

"ET C'EST D'AUTANT PLUS FRUSTRANT QUE LES PAY-SAGES SONT MAGNIFIQUES. TOUT EST IMMENSE, MAJES-TUEUX..."

LEO

③

"...ET JE NE CESSE PAS DE M'EXTASIER DEVANT CETTE ÉPOUSTOUFLANTE PAROI VERTICALE QUI NOUS SURPLOMBE. C'EST À VOUS COUPER LE SOUFFLE."

"LA FAUNE SEMBLE ÊTRE TRÈS ABONDANTE, SURTOUT LES OISEAUX. IL Y A UNE VARIÉTÉ INIMAGINABLE D'OISEAUX !"

"SANS PARLER DES POISSONS ! LA RIVIÈRE REGORGE DE POISSONS, EN GÉNÉRAL DE TAILLE RESPECTABLE."

"ET ILS SONT DÉLICIEUX ! C'EST NOTRE PRINCIPALE NOURRITURE."

"MAIS J'AI HÂTE DE RENCONTRER LES IUMS. ILS ME FASCINENT ! JE NE CESSE DE PASSER ET REPASSER LES INFORMATIONS QUE TOSHIRO A RECUEILLIES SUR EUX."

"ILS ONT UNE ANATOMIE EXTRAORDINAIRE. À COMMENCER PAR LEUR SQUELETTE. LEURS QUATRE MEMBRES SONT DÉPOURVUS D'OS : ILS NE POSSÈDENT QU'UNE SORTE DE TUBE CARTILAGINEUX TRÈS SOUPLE ENTOURÉ DE MUSCLES PUISSANTS !"

"ET PUIS IL Y A CETTE ÉTONNANTE PILE ÉNERGÉTIQUE QU'ILS PORTENT DANS UNE CAVITÉ VENTRALE. C'EST ELLE QUI PERMET À LEUR ORGANISME DE SURVIVRE SANS RIEN MANGER, CAR ILS N'ONT NI BOUCHE, NI APPAREIL DIGESTIF !"

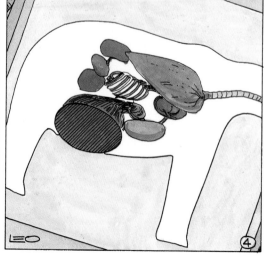

LEO

④

"LA SEULE CHOSE QU'ILS ABSORBENT — EN DEHORS DE L'AIR QU'ILS RESPIRENT — C'EST UN PEU D'EAU DE TEMPS EN TEMPS, QU'ILS ASPIRENT PAR LES NARINES..."

KIM ! REGARDE LA TAILLE DE CET OISEAU !

WAOU ! IL EST BEAU, HEIN ?

IL VIENT NOUS REGARDER.

ET NOUS EXHIBER SON SUPERBE PLUMAGE !

BLAM

MAIS ?! ...

POURQUOI AVEZ-VOUS FAIT ÇA ?! POURQUOI L'AVOIR TUÉ ?!

JE VOUS AI PEUT-ÊTRE SAUVÉ LA VIE, MADEMOISELLE....

MAIS IL N'AVAIT PAS L'AIR AGRESSIF ! VOUS CONNAISSEZ CETTE ESPÈCE D'OISEAU ?

PAS DU TOUT.. MAIS DANS LE DOUTE, JE TIRE. IL NE FAUT PAS PRENDRE DE RISQUES, MADEMOISELLE. NOUS SOMMES DANS UN MONDE HOSTILE. IL N'Y A PAS DE PLACE POUR LA SENSIBLERIE !

DÉTESTABLE PERSONNAGE !

⑤

8

"LE RESTE DE LA JOURNÉE PASSA SANS INCIDENT MAJEUR. MAIS EN FIN D'APRÈS-MIDI J'AI DÛ ENCAISSER À NOUVEAU L'HOSTILITÉ DE GEORGE DIXON..."

IL Y A UN COIN TRANQUILLE LÀ-BAS. JE PROPOSE QU'ON S'ARRÊTE POUR Y PASSER LA NUIT.

AH, NON! C'EST TROP TÔT! NOUS AVONS ENCORE DEUX BONNES HEURES DE LUMIÈRE, AU MINIMUM!

JE NE SUIS PAS D'ACCORD! JE PRÉFÈRE M'ARRÊTER TOUT DE SUITE POUR POUVOIR PRÉPARER CALMEMENT LA BOUFFE ET LE CAMPEMENT.

CE QUE TU VEUX C'EST NOUS EMPÊCHER D'AVANCER, DIXON! MOINS NOUS AVANÇONS, MOINS NOUS POURRONS CONNAÎTRE LES IUMS: C'EST CELA TON BUT!

QUI DÉCIDE, MADEMOI-SELLE KELLER? VOUS? AVEZ-VOUS SUFFISAMMENT D'EXPÉ-RIENCE? LA CONNAISSANCE NÉCESSAIRE DE BÉTELGEUSE? OU PRÉFÉREZ-VOUS PROCÉDER PAR VOTE À BULLETIN SECRET, POUR QU'ON NE SUBISSE PAS DE PRESSION?...

DITES, COLONEL, D'APRÈS VOUS COMBIEN DE TEMPS IL NOUS FAUT POUR MONTER NOTRE CAMPEMENT?

UNE BONNE HEURE.

COMMANDANT NAKAD, PENSEZ-VOUS QU'ON PUISSE TROUVER FACILEMENT UN AUTRE COIN TRAN-QUILLE COMME CELUI-LÀ UN PEU PLUS LOIN?

HM... CE N'EST PAS SÛR, NON.

ALORS NOUS ALLONS NOUS ARRÊTER ICI. IL EST PRÉFÉRABLE DE JOUER LA SÉCURITÉ, MONSIEUR MATSUDA. RIEN NE NOUS OBLIGE À ALLER VITE.

LEO, ⑦

9

TU SAIS QUE NOUS AVONS DES TENTES INDIVIDUELLES ET DES SACS DE COUCHAGE POUR LA NUIT ?

OUI...

QU'EST-CE QUE TU DIRAIS DE NOUS MONTER UNE TENTE DANS UN COIN ISOLÉ ET DE COUCHER ENSEMBLE, HEIN ?

TU... TU PARLES SÉRIEUSEMENT ?

BIEN SÛR, HECTOR !

SEIGNEUR !... MAIS SOYONS DISCRETS, SINON JE VAIS FAIRE DES ENVIEUX ! CE DIXON N'A PAS CESSÉ DE TE RELUQUER TOUTE LA JOURNÉE !

DITES, FAUT-IL LAISSER QUELQU'UN DE GARDE POUR DONNER L'ALARME SI UN ANIMAL DANGEREUX S'APPROCHE DU CAMPEMENT ?

CE N'EST PAS NÉCESSAIRE. LES PETITS OISEAUX VERTS NOUS RÉVEILLERONT AVEC LEURS CRIS SI UNE BÊTE MENAÇANTE SE BALADE DANS LE COIN. C'EST UNE ALARME INFAILLIBLE !

PEU APRÈS...

TAP

MAIS ?! STEVE ! QU'EST-CE QUE...

UN GROS INSECTE ! JE NE SAIS PAS S'IL ÉTAIT DANGEREUX, MAIS EN TOUT CAS IL ÉTAIT TRÈS MOCHE !

BEURK !... VRAIMENT MOCHE !

SI VOUS PERMETTEZ, JE VAIS MONTER MA TENTE NON LOIN DE LA VÔTRE. SI VOUS AVEZ BESOIN DE MOI, IL SUFFIT DE M'APPELER, OK ?

OK, STEVE. MERCI. BONNE NUIT.

LEO

⑧

DÉSOLÉ, INGE ! JE NE SAIS PAS CE QUI M'ARRIVE. UNE FILLE DE RÊVE COMME TOI ! ... C'EST PEUT-ÊTRE JUSTEMENT ÇA LA CAUSE : TU ES TROP BELLE ET ÇA M'ANGOISSE ! TU SAIS, LA PEUR DE NE PAS ÊTRE À LA HAUTEUR...

NE DIS PAS DE BÊTISES ! ...

JE CONNAIS LA RAISON DE TON PROBLÈME, MON AMI : TOUT SIMPLEMENT TU AURAIS AIMÉ QU'UNE AUTRE PERSONNE SOIT LÀ, À MA PLACE...

QUOI ? QUI ÇA ? ...

KIM.

KIM ? ... POURQUOI DIS-TU ÇA ? ...

PARCE QUE ÇA SAUTE AUX YEUX, MON GARÇON. TU NE CESSES DE LA LORGNER À LONGUEUR DE JOURNÉE AVEC DES YEUX DE MERLAN FRIT.

BON DIEU, INGE, ÇA SE VOIT À CE POINT ?

BIEN SÛR !

POUR TOUT T'AVOUER, JE CROIS QUE JE SUIS VRAIMENT TOMBÉ AMOUREUX DE KIM D'UNE FAÇON QUE TU NE PEUX PAS IMAGINER ! JE SUIS OBSÉDÉ PAR CETTE FILLE...

JE SUIS FASCINÉ PAR SON VISAGE, SON CORPS, SES GESTES, SA VOIX. SEIGNEUR ! JE DOIS ME CONTRÔLER POUR NE PAS LA PRENDRE DANS MES BRAS CHAQUE FOIS QUE NOUS NOUS CROISONS.

CHICHE ! TU DEVRAIS LE LUI DIRE, NON ?

AH, NON ! ELLE A DÉJÀ L'AUTRE, LÀ, LE LIEUTENANT QUI L'EXASPÈRE EN LUI TOURNANT AUTOUR, JE NE VAIS PAS M'Y METTRE MOI AUSSI !

LEO

MON PAUVRE HECTOR ! ET PAUVRE DE MOI AUSSI : UN TYPE VIENT COUCHER AVEC MOI ET IL ME PARLE DE SON AMOUR POUR UNE AUTRE. IL N'Y A QU'À MOI QUE CE GENRE DE CHOSES ARRIVE !

9

11

"TRÈS TÔT LE MATIN, NOUS AVONS REPRIS NOTRE VOYAGE. IL N'Y AVAIT PAS LA MOINDRE BRISE ET, EN DÉPIT DE L'HEURE MATINALE, IL FAISAIT DÉJÀ TRÈS CHAUD. UNE CHALEUR MOITE, OPPRESSANTE."

LA PARTICULARITÉ DE BÉTEL-GEUSE C'EST QUE LA PLUPART DE SES RIVIÈRES SONT SOUTERRAINES. LES IMMENSES RÉGIONS DÉSERTI-QUES SONT EN RÉALITÉ SILLONNÉES DE COURS D'EAU ENFOUIS À TRÈS GRANDE PROFONDEUR.

MALHEUREUSEMENT, AVANT DE SE DÉVERSER DANS LES CANYONS, LA PLUPART DE CES RIVIÈRES SE RÉCHAUFFENT EN CROISANT DES RÉGIONS VOLCANIQUES, CONTRIBUANT À CRÉER CETTE CHALEUR ÉTOUFFANTE QUI RÈGNE ICI.

C'EST POUR CELA QUE VOUS AVEZ CHOISI D'HABITER LE DÉSERT?

EN PARTIE, OUI. MAIS C'ÉTAIT AUSSI POUR GÊNER LE MOINS POSSIBLE LES IUMS. ILS NE S'AVENTURENT JAMAIS DANS LE DÉSERT.

LIEUTENANT! APPROCHEZ-VOUS LE PLUS POSSIBLE DE LA RIVE. IL Y A UN POISSON DANGEREUX QUI VIENT VERS NOUS.

QU'EST-CE QUE C'EST? UN REQUIN?

OUI. ET UN GRAND!

C'EST UN GRAND POISSON CARNIVORE TRÈS AGRESSIF. LA BÊTE LA PLUS DANGEREU-SE DES RIVIÈRES. IL VA PASSER TOUT PRÈS DE NOUS!

IL EST ÉNORME!

HEUREU-SEMENT IL NOUS IGNORE!

LEO

⑩

"PEU APRÈS, PENDANT QUE JE REMPLAÇAIS STEVE DANS L'AÉROJEEP..."

HÉ, KIM! ARRÊTEZ-VOUS! IL Y A QUELQUE CHOSE PAR LÀ...

QU'EST-CE QUE C'EST?

CETTE CAVERNE, LÀ, VOUS VOYEZ? J'AI VU UN GROUPE D'IUMS Y ENTRER.

ET TOUS CES CHEMINS QUI CONVERGENT VERS L'ENTRÉE... ON DIRAIT QUE C'EST UNE CAVERNE TRÈS FRÉQUENTÉE PAR LES IUMS. JE ME DEMANDE POURQUOI...

ALLONS JETER UN COUP D'OEIL AVEC L'AÉRO-JEEP!

EST-CE BIEN NÉCESSAIRE UN TEL ARSENAL?

EH OUI, MADEMOISELLE! CES CAVERNES SONT HABITÉES PAR UNE FAUNE TRÈS DANGEREUSE.

IL Y A DES BÊTES QUI ARRIVENT À VIVRE DANS LES PROFONDEURS SANS LUMIÈRE?

OUI, TOUTE UNE FAUNE S'EST ADAPTÉE À L'ABSENCE DE LUMIÈRE! DES HERBIVORES QUI MANGENT DES CHAMPIGNONS ET DES MOUSSES, ET DES CARNIVORES QUI LES CHASSENT. ILS SONT TERRIFIANTS.

VOUS RESTEREZ ICI À NOUS ATTENDRE, STEVE.

ET PRÊT À PARTIR EN CATASTROPHE, LIEUTENANT!

CES TACHES LUMINEUSES, QU'EST-CE QUE C'EST?

CE SONT DES CHAMPIGNONS FLUO-RESCENTS. ILS SONT ABONDANTS DANS LES CAVERNES. HEU-REUSEMENT!...

⑪

13

ÇA ALORS!

UN INGÉNIEUX PONT EN PIERRE EN ARC, PAR-FAITEMENT CONSTRUIT! ET AVEC UN SYSTÈME D'ILLUMINATION... VOILÀ UNE PREUVE DE PLUS DU NIVEAU D'INTELLIGENCE ÉLEVÉ DES IUMS!

TU CONFONDS TOUT, TOSHIRO! PERSONNE NE NIE QUE LES IUMS SONT TRÈS INTELLIGENTS. CE QUE NOTRE GROUPE CONTESTE C'EST QU'ILS SOIENT AUSSI INTELLI-GENTS QUE LES HUMAINS.

ON NE LES A JAMAIS VUS UTILISER DES OUTILS. ICI ILS SONT EN TRAIN DE TAILLER CES ROCHERS, MAIS ON NE VOIT AUCUN INSTRUMENT...

PARCE QU'ILS N'EN ONT PAS BESOIN! ILS SONT HABILES DANS LE MANIEMENT DES PIER-RES, ILS DOIVENT SAVOIR LES TAILLER SANS AVOIR BESOIN D'OUTILS!

C'EST COMME POUR L'USAGE DU FEU : ILS N'EN ONT PAS BESOIN! NI POUR CUIRE DES ALIMENTS, PUISQU'ILS NE MANGENT PAS, NI POUR SE PROTÉGER DU FROID.

TOUT ÇA C'EST TON IN-TERPRÉTATION, TOSHIRO. LA CHARTE DE L'O.N.U. EST CLAIRE : UNE RACE INTELLIGENTE SAIT MAÎTRISER LE FEU ET FABRI-QUER DES OUTILS...

UN PASSAGE! IL Y A UNE AUTRE SALLE PAR LÀ!

SEIGNEUR TOUT-PUISSANT !

DES TRACES DE FEU ! ILS SAVENT UTILISER LE FEU !

ET CES PEINTURES... C'EST DE L'ART, ÇA ! VOILÀ DEUX PREUVES SUPPLÉMENTAIRES DE L'INTELLIGENCE SUPÉRIEURE DES IUMS !

ET JE ME DEMANDE SI NOUS NE SOMMES PAS DANS UNE SORTE DE TEMPLE ! CE QUI ÉTABLIRAIT L'EXISTENCE D'UNE VIE SPIRITUELLE CHEZ EUX : UNE PREUVE DE PLUS DE LEUR NIVEAU ÉLEVÉ D'ÉVOLUTION...

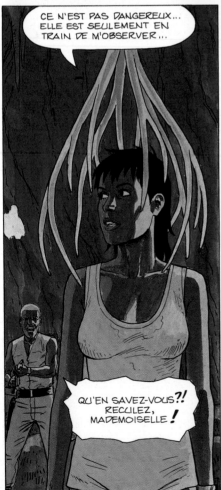

16

VENEZ, MADEMOISELLE ! VENEZ !

S'ILS NOUS ATTAQUENT, JE TIRE, DONOVAN ! ILS DOIVENT APPRENDRE À NOUS CRAINDRE ET À NOUS RESPECTER !

C'EST PAS CROYABLE ! CE MEC PARLE COMME UN COLON ANGLAIS EN AFRIQUE AU XIXe !

LES ANGLAIS ONT TRÈS BIEN SU CONQUÉRIR LE CONTINENT AFRICAIN, TOSHIRO !

ALLEZ, MESSIEURS, AVANCEZ ! VOUS CONTINUEREZ VOTRE DISCUSSION DEHORS !

VOUS AVEZ ÉTÉ TRÈS IMPRUDENTE, MADEMOISELLE KELLER ! QUE S'EST-IL PASSÉ ? VOUS M'AVEZ PARU APATHIQUE FACE À CETTE CHOSE !

LEO

C'EST VRAI, KIM, VOTRE COMPORTEMENT A ÉTÉ TROP TÉMÉRAIRE !

CETTE... CHOSE N'ÉTAIT PAS DANGEREUSE. JE NE SAIS PAS COMMENT JE LE SAIS, MAIS J'AI EU LA NETTE SENSATION QU'ELLE N'ÉTAIT PAS DANGEREUSE.

SI VOUS CONTINUEZ À FAIRE CONFIANCE À VOS "SENSATIONS", VOUS NE SURVIVREZ PAS LONGTEMPS SUR CETTE PLANÈTE, MADEMOISELLE ...

⑮

...M... J'AI MÊME L'IMPRESSION QU'ILS LE DÉFENDAIENT... QU'ILS NOUS ONT EXPULSÉS DE LA GROTTE POUR LE PROTÉGER.

DIXON, JE VOUS INTERDIS DE TIRER !

...EMAN-...A PAR

..., OU S'IL A UN RAPPORT SPÉCIFIQUE AVEC L'ENDROIT...

VOUS SUGGÉREZ DES CHOSES ASSEZ TROUBLANTES, KIM !...

TOUT A ÉTÉ ENREGISTRÉ ET CETTE CAVERNE BIEN LOCALISÉE, N'EST-CE PAS, TOSHIRO ?

BIEN SÛR, LEILAH !

PENDANT CE TEMPS, TRÈS LOIN DE LÀ, À ANATOLIE, SUR ALDÉBARAN...

JE SUIS CERTAIN QUE TU VAS L'AIMER. C'EST UNE FEMME REMARQUABLE !

DING DONG

SALUT ALEXA ! JE TE PRÉSENTE MONIQUE. ELLE ...

JE T'AVAIS DIT QUE JE VOULAIS TE PARLER D'UN TRUC IMPORTANT, MARC ! JE M'ATTENDAIS À CE QUE TU VIENNES SEUL. JE NE T'AI PAS INVITÉ À UNE SOIRÉE MONDAINE !

LEO

16

MONIQUE ! ATTENDS !

QU'EST-CE QUI T'ARRIVE ?! CETTE FILLE NE T'A RIEN FAIT !

TU DEVRAIS ALLER LA REJOINDRE, MARC. JE CROIS QUE J'AI FAIT UNE ERREUR EN PENSANT QUE TU POUVAIS M'AIDER. JE VAIS ME DÉBROUILLER TOUTE SEULE.

ARRÊTE, ALEXA ! JE SUIS LÀ, SEUL, ET JE T'ÉCOUTE.

C'EST INUTILE, MARC. MOI, JE PENSE À KIM TOUT LE TEMPS ET CE QUI LUI EST ARRIVÉ M'ACCABLE. CE N'EST MANIFESTE-MENT PAS TON CAS. TU L'AS DÉJÀ OUBLIÉE, ON DIRAIT. ALORS, CE N'EST PAS LA PEINE, TU PEUX ALLER RETROUVER TA ROUSSE EXUBÉRANTE...

KIM ET MOI, NOUS AVONS DÉCIDÉ DE NOUS SÉPARER, ALEXA ! IL EST NATUREL QUE JE SORTE AVEC D'AUTRES FILLES, OÙ EST LE MAL ? JE NE L'AI PAS POUR AUTANT OUBLIÉE. QU'EST-CE QUE C'EST CETTE HISTOIRE ?

D'ACCORD, C'EST PEUT-ÊTRE MOI QUI EXAGÈRE...

VOILÀ CE QUE J'ATTENDS DE TOI : JE SUIS DÉCIDÉE À M'EMPARER D'UN VAISSEAU ET À ALLER SUR BÉTELGEUSE CHERCHER KIM. ES-TU DISPOSÉ À M'ACCOMPAGNER POUR M'AIDER DANS LE PILOTAGE ?

ATTENDS, ATTENDS, TU RIGOLES, LÀ !...

LEO

JE N'AI JAMAIS ÉTÉ AUSSI SÉRIEUSE DE MA VIE !

ALORS TU ES DEVENUE COMPLÈTE-MENT FOLLE ! ON NE PEUT PAS S'EMPARER D'UN VAISSEAU INTERSTELLAIRE COMME ÇA ! C'EST L'ENGIN LE PLUS CHER AU MONDE, C'EST UN TRUC HYPER-GARDÉ, PLEIN DE SYSTÈMES DE SÉCURITÉ. TON IDÉE EST TOUT BONNE-MENT RIDICULE, ALEXA !

17

JE NE PENSE PAS. MAIS S'EMPARER DU VAISSEAU, JE M'EN CHARGE. JE TE DEMANDE SEULEMENT SI TU ES D'ACCORD POUR M'ACCOMPAGNER DANS CE VOYAGE.

DANS L'HYPOTHÈSE, PUREMENT IMAGINAIRE, OÙ TON PLAN FONCTIONNERAIT, NOUS RISQUERIONS UNE MONUMENTALE PEINE DE PRISON, ALEXA!...

BIEN SÛR...

ET POUR MOI CE SERAIT LA FIN DE MA CARRIÈRE DE PILOTE. MA LICENCE ME SERAIT RETIRÉE À VIE.

TOUT À FAIT.

LA VIE DE KIM, NOTRE KIM, NE VAUT PAS CELA À TON AVIS ? LA TERRE NE VA PAS ENVOYER D'AUTRE MISSION SUR BÉTELGEUSE, MARC ! C'EST LA RÈGLE, TU LE SAIS BIEN : ILS CONSIDÈRENT QUE C'EST TROP RISQUÉ ET TROP CHER.

SI NOUS NE FAISONS RIEN, NOUS NE REVERRONS PLUS KIM. C'EST AUSSI SIMPLE QUE ÇA ...

AU REVOIR, MARC. JE T'AVAIS DIT QUE JE M'ÉTAIS TROMPÉE EN TE DEMANDANT DE PASSER...

JE SUIS DISPOSÉ À T'ACCOMPAGNER. JE FERAI TOUT CE QUE TU VOUDRAS.

LEO

18

20

"POUR NOTRE DEUXIÈME NUIT, NOUS AVONS ACCOSTÉ DANS UN ENDROIT CALME, PEU AVANT LE COUCHER DU SOLEIL. SANS DISCUSSIONS CETTE FOIS."

CE N'EST PAS UNE ÉTOILE, VOUS SAVEZ...

C'EST NOTRE VAISSEAU, LE "KONSTANTIN TSIOLKOWSKY"...

MON ÉPOUSE ET MES DEUX FILS SONT RESTÉS LÀ-HAUT.

BRANDON AVAIT 21 ANS ET ROBERT 18. DES GARÇONS REMARQUABLES : INTELLIGENTS, ACTIFS. J'ÉTAIS TRÈS FIER D'EUX. ... ILS ÉTAIENT ENTHOUSIASMÉS PAR CETTE FOLLE IDÉE DE VENIR COLONISER UNE PLANÈTE INCONNUE. C'ÉTAIT LEUR RÊVE LE PLUS CHER...

MAINTENANT ILS SONT MORTS, LÀ-HAUT. ET ICI, EN BAS, LE RÊVE DE COLONISATION S'EST TRANSFORMÉ EN CETTE VIE MÉDIOCRE QUE NOUS MENONS... QUEL ÉPOUVANTABLE GÂCHIS !

JE... JE COMPRENDS VOTRE AMERTUME.

ALORS, KIM, CE CHER GEORGE DIXON ÉTAIT EN TRAIN DE VOUS IMPORTUNER ?

NON... IL ME PARLAIT DE SA FEMME ET DE SES FILS QUI SONT LÀ-HAUT SUR LE "TSIOLKOWSKY", MORTS...

OUI... ET IL NOUS REND RESPONSABLES DE SON MALHEUR. MAIS C'EST INJUSTE. J'ÉTAIS PRÉSENT QUAND CE VIRUS S'EST MANIFESTÉ, JE FAISAIS PARTIE DU GROUPE QUI MANIPULAIT LES ORDINATEURS. ET JE VOUS GARANTIS QUE CE N'EST PAS NOUS QUI L'AVONS CRÉÉ !

ALORS, COMMENT L'EXPLIQUER ?

JE NE SAIS PAS ! IL EST APPARU COMME ÇA, SOUDAINEMENT, SANS QUE L'ON SACHE NI D'OÙ NI COMMENT. JURÉ !

19

"CE FUT APRÈS LE DÎNER, QUAND, AVANT DE ME METTRE AU LIT, JE M'ÉTAIS UN PEU ÉLOIGNÉ SUR LA RIVE POUR ME LAVER, QUE J'AI FAIT UNE SURPRENANTE RENCONTRE..."

SALUT ! JE M'APPELLE KIM. ET TOI ?

CHUT ! NE PARLE PAS FORT. JE NE VEUX PAS QU'ILS SACHENT QUE JE SUIS LÀ !

POURQUOI ? JE VOUDRAIS TE PARLER. TU NE VEUX PAS DESCENDRE ?

NON. J'AI PEUR DU COLONEL ET DE L'AUTRE TYPE, CE DIXON !

DOMMAGE... POURQUOI ES-TU VENUE, ALORS ?

CE SONT LES IUMS. ILS VEULENT TOUT LE TEMPS S'APPROCHER POUR TE VOIR.

ME VOIR ?! MAIS QU'EST-CE QUE...

HÉ ! QUI EST LÀ ? TOUT VA BIEN ?

20

22

C'EST MOI, COLONEL. TOUT VA BIEN.

HUM... NE VOUS ÉLOIGNEZ PAS TROP DU CAMPEMENT. C'EST DANGEREUX.

OUI, VOUS AVEZ RAISON...

DITES-MOI, CETTE FILLE CHAUVE DONT JE VOUS AI PARLÉ...

MAÏ LAN...

QUAND VOUS ÊTES ARRIVÉS ICI, ELLE DEVAIT AVOIR 12 OU 13 ANS SEULEMENT. QUE FAISAIT UNE GAMINE DE CET ÂGE PARMI VOUS, L'ÉQUIPE CHARGÉE DE PRÉPARER LE DÉBARQUEMENT ?

LA MÈRE DE MAÏ LAN FAISAIT PARTIE DE MON ÉQUIPAGE, C'EST-À-DIRE, DU PERSONNEL QUI A FAIT TOUT LE VOYAGE SANS ÊTRE EN HIBERNATION. C'ÉTAIT DUR, TRÈS DUR, ET ELLE A CRAQUÉ : EN CACHETTE, FAISANT FI DU RÉGLEMENT, ELLE A RÉVEILLÉ DE L'HIBERNATION SA FILLE QUI VOYAGEAIT COMME PASSAGER. ELLE A ÉTÉ SÉVÈREMENT PUNIE POUR CELA.

QUAND LA CHOSE A ÉTÉ DÉCOUVERTE, IL ÉTAIT TROP TARD POUR REMETTRE LA GAMINE EN HIBERNATION ET ELLE A DÛ RESTER AVEC NOUS. EN DESCENDANT VERS LA PLANÈTE, NOUS AVONS PRÉFÉRÉ L'EMMENER. CE QUI LUI A SAUVÉ LA VIE, EN FIN DE COMPTE...

LEO

POURQUOI POSEZ-VOUS CETTE QUESTION ?

JE VIENS DE LA VOIR. ELLE ÉTAIT SUR UN ARBRE AVEC UN GROUPE D'IUMS.

"NOUS ENTAMONS NOTRE TROISIÈME JOUR. STEVE ESTIME QUE NOUS SOMMES À QUELQUE 400 KILOMÈTRES DE NOTRE POINT DE DÉPART."

21

"CE FUT UNE JOURNÉE SANS INCIDENT MAJEUR, PONCTUÉE COMME TOUJOURS PAR LES RÉGULIÈRES PRISES DE BEC ENTRE TOSHIRO ET DIXON."

"POUR LE DÉJEUNER NOUS AVONS PÊCHÉ UN POISSON INCONNU AUX FORMES BIZARRES. SA CHAIR ÉTAIT DÉLICIEUSE !"

"L'APRÈS-MIDI, NOUS AVONS CROISÉ UN AUTRE ANIMAL JUSQUE-LÀ INCONNU, AUX FORMES TRÈS ÉTRANGES."

"NOTRE TROISIÈME NUIT. CE FUT POUR MOI UNE NUIT MOUVEMENTÉE. LA NUIT DE LA BOULEVERSANTE RENCONTRE QUE, EN QUELQUE SORTE, J'ATTENDAIS DEPUIS LE DÉBUT. MAIS LA SOIRÉE COMMENÇA PAR UN INCIDENT PLUS ANODIN..."

"APRÈS LE DÎNER, TOSHIRO EST VENU DANS MA TENTE POUR QUE JE LUI MONTRE QUELQUES IMAGES D'ANIMAUX D'ALDÉBARAN..."

ÇA, C'EST UN ÉLEUTÈRE GÉANT. C'EST UN ANIMAL TRÈS SURPRENANT. IL EST...

TOSHIRO, VOUS NE M'ÉCOUTEZ PAS! VOUS... VOUS REGARDEZ MES SEINS, ÉBAHI COMME UN ADOLESCENT!

HA HA HA HA

AH, KIM, MILLE EXCUSES, MAIS C'EST PLUS FORT QUE MOI !

22

JE NE SAIS PAS L'EXPLIQUER, C'EST COMME UN PHÉNOMÈNE PHYSICO-CHIMIQUE : VOUS RÉVEILLEZ EN MOI UN DÉSIR PRESQUE INCONTRÔLABLE. J'AI DÛ LUTTER POUR EMPÊCHER MA MAIN D'ALLER CARESSER VOS SEINS !

BON... IL VAUT PEUT-ÊTRE MIEUX QUE JE M'EN AILLE...

NON, RESTEZ... EN FIN DE COMPTE, JE CROIS QUE MOI AUSSI J'AI BESOIN D'UN PEU DE SEXE...

KIM ! IL FAUT QUE JE VOUS PARLE ! C'EST URGENT !

QUOI ?! MAIS ...

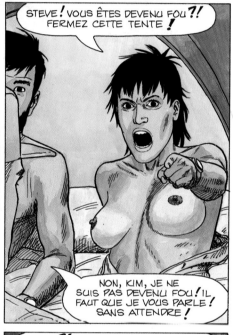

STEVE ! VOUS ÊTES DEVENU FOU ?! FERMEZ CETTE TENTE !

NON, KIM, JE NE SUIS PAS DEVENU FOU ! IL FAUT QUE JE VOUS PARLE ! SANS ATTENDRE !

SI VOUS N'AVEZ PAS UN TRÈS BON MOTIF POUR AVOIR ENVAHI MA TENTE COMME ÇA, STEVE, VOUS ALLEZ LE REGRETTER JUSQU'À LA FIN DE VOS JOURS !

ALORS ? QU'EST-CE QU'IL Y A DE SI URGENT ?

J'AI FAIT CELA POUR ÉVITER QUE VOUS NE FASSIEZ UNE BÊTISE.

QUOI ?! COMMENT OSEZ-VOUS VOUS IMMISCER DANS MA VIE PRIVÉE COMME ÇA ?! LE FAIT D'ÊTRE AMOUREUX DE MOI NE VOUS DONNE AUCUN DROIT SUR MOI, LIEUTENANT ! QUAND ALLEZ-VOUS METTRE ÇA DANS VOTRE TÊTE DE MULE, BORDEL DE MERDE ?!

23

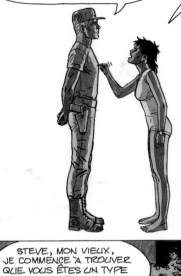

IL NE S'AGIT PAS DE CELA. SI VOUS ÉTABLISSEZ UNE RELATION D'INTIMITÉ AVEC UN MEMBRE D'UN DE DEUX GROUPES ANTAGONISTES, VOUS ALLEZ VOUS METTRE DANS UNE SITUATION DE FAIBLESSE. VOUS ALLEZ À L'AVENIR ÊTRE SUSPECTÉE DE PARTIALITÉ.

BALIVERNES! VOTRE PROBLÈME, C'EST QUE CE N'ÉTAIT PAS VOUS QUI ÉTIEZ DANS MON LIT, LIEUTENANT! VOILA LA VÉRITÉ!

JE VOUS AURAI PRÉVENUE. MAINTENANT, FAITES COMME VOUS VOULEZ.

HEU... DÉSOLÉE TOSHIRO, MAIS J'AI PERDU TOUT MON ÉLAN...

JE COMPRENDS, KIM, NE VOUS EN FAITES PAS. PEUT-ÊTRE QUE C'EST D'UNE BONNE NUIT DE SOMMEIL QUE NOUS AVONS BESOIN EN FIN DE COMPTE...

STEVE, MON VIEUX, JE COMMENCE À TROUVER QUE VOUS ÊTES UN TYPE BIEN SYMPATHIQUE, TOUT COMPTE FAIT...

"J'AI MIS LONGTEMPS À M'ENDORMIR. JE ME SENTAIS COUPABLE. JE COMMENÇAIS À ME RENDRE COMPTE QUE STEVE N'AVAIT PAS TOUT À FAIT TORT..."

"PUIS, EN PLEIN MILIEU DE LA NUIT, JE ME SUIS RÉVEILLÉE..."

"...ET APRÈS UN PETIT MOMENT DE CONFUSION, J'AI SU DE FAÇON CLAIRE ET NETTE CE QUE J'AVAIS À FAIRE..."

LEO

(24)

SCHOUFF

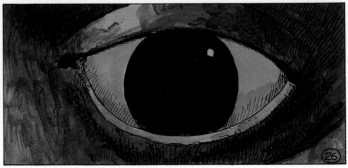

POURQUOI
PLEUREZ-VOUS ?

JE NE
SAIS PAS...

VOUS...,
VOUS AVEZ
TOUT VU ?

OUI. J'AI EU LA PEUR
DE MA VIE..., POUR VOUS.
J'AVAIS DÉJÀ PRIS LE
FUSIL AVEC LA CHARGE
EXPLOSIVE ET LE VISEUR
INFRAROUGE. MAIS...

...J'AI ALORS COMPRIS QUE C'ÉTAIT LA
MANTRISSE. C'EST BIEN CELA, NON ? IL Y A
UNE DE CES CRÉATURES ICI SUR BÉTELGEU-
SE...ET ELLE VOUS A, COMMENT DIRE,
APPELÉE...

VOUS A-T-ELLE DIT OU... TRANS-
MIS QUELQUE CHOSE ? JE NE SAIS
PAS COMMENT ÇA SE PASSE...

MOI NON PLUS, STEVE, JE NE SAIS
PAS COMMENT ÇA SE PASSE. JE N'AI REÇU
AUCUN... MESSAGE. J'AI SEULEMENT EU
L'IMPRESSION QU'ELLE VOULAIT... ME VOIR DE
PRÈS. QU'ELLE SAVAIT QUE J'ÉTAIS ICI SUR
BÉTELGEUSE ET QU'ELLE VOULAIT ME VOIR
DE PRÈS. C'EST TOUT.

27

29

VOUS ALLEZ PARLER AUX AUTRES DE CETTE ... RENCONTRE ?

NON !
...

PAS POUR LE MOMENT. J'AI PEUR QU'ILS ME CONSIDÈRENT COMME... COMME UNE SORTE DE PHÉNOMÈNE DE FOIRE, DE MONSTRE. OU ALORS UNE ESPÈCE DE SUPER-WOMAN AVEC DES SUPER-POUVOIRS. JE NE VEUX PAS DE ÇA !

JE COMPRENDS...

BON... NOUS FERIONS MIEUX D'ALLER DORMIR.

STEVE !
...

... JE VOUS PRIE DE ME PARDONNER POUR L'ENGUEULADE DE TOUT À L'HEURE. JE... JE CROIS QUE VOUS AVIEZ RAISON AU SUJET DE... VOUS SAVEZ... MOI ET TOSHIRO...

QUELQUE CHOSE NE VA PAS, KIM ?

NON... HEU... C'EST CETTE MUSIQUE QU'HECTOR M'A PRÊTÉE. ELLE EST SI BELLE QUE J'AI CRAQUÉ... "LES QUATRE DERNIERS LIEDER" DE RICHARD STRAUSS.

AH OUI, C'EST VACHEMENT BEAU !

HÉ ! IL Y A QUELQUE CHOSE DANS L'EAU, LÀ, DEVANT NOUS !

28

"DANS UNE PARTIE SENSIBLEMENT PLUS ÉTROITE DE LA RIVIÈRE, UNE INSOLITE STRUCTURE FAITE DE TRONCS D'ARBRE RELIAIT UNE RIVE À L'AUTRE, EMPÊCHANT TOUT PASSAGE."

REGARDEZ-MOI ÇA !

UNE ESPÈCE DE BARRAGE !

POUR CONDUIRE LES FRUITS QUE LES IUMS JETENT À L'EAU VERS CE BRAS SECONDAIRE...

ET VOUS AVEZ VU LA FAÇON DONT CES TRONCS ONT ÉTÉ RELIÉS ? POUR TRAVAILLER LE BOIS DE CETTE MANIÈRE, LES IUMS ONT CERTAINEMENT DÛ UTILISER DES OUTILS. C'EST OBLIGÉ !

QU'EST-CE QU'ON FAIT ? LE RADEAU NE PEUT PAS PASSER.

PEUT-ÊTRE N'AURONS-NOUS PLUS BESOIN DE LE FAIRE, COLONEL.

PEUT-ÊTRE QUE CE QUE NOUS CHERCHONS SE TROUVE LÀ, DANS CE BRAS SECONDAIRE, À L'ENDROIT VERS LEQUEL SONT CONDUITS CES FRUITS.

ALLONS JETER UN COUP D'OEIL.

LEO

(29)

31

LA PAROI EST TROP PROCHE : CE CANAL DOIT PÉNÉTRER DANS UNE CAVERNE. C'EST PEUT-ÊTRE LÀ QUE SE TROUVE "L'USINE" OÙ LES IUMS FABRIQUENT LEURS "PILES".

TU DÉLIRES, TOSHIRO !

LE COURANT DEVIENT DE PLUS EN PLUS FORT !

L'EAU DISPARAÎT DANS UN GOUFFRE !

IMPOSSIBLE D'Y ENTRER ! C'EST RATÉ, TOSHIRO.

OÙ VA TOUTE CETTE EAU ?

CES PAROIS SONT PERCÉES D'INNOMBRABLES GALERIES. L'EAU PEUT ENTRER ICI, TRAVERSER DES KILOMÈTRES DE DÉSERT ET ALLER SE JETER DANS LE CANYON VOISIN. OU TOUT SIMPLEMENT ELLE PEUT FAIRE UN PETIT DÉTOUR SOUTERRAIN ET RETOURNER AU FLEUVE D'ORIGINE PLUS EN AVAL.

SI LES FRUITS SONT CONDUITS ICI, C'EST FORCÉMENT LÀ-DEDANS QU'ILS SONT TRANSFORMÉS. C'EST LÀ QUE SE TROUVE LA CLÉ DU MYSTÈRE. IL FAUT TROUVER UNE AUTRE ENTRÉE !

LES IUMS NE PEUVENT PAS ENTRER PAR ICI : IL DOIT DONC Y AVOIR UN AUTRE ACCÈS DANS LES ENVIRONS. UNE ENTRÉE PRATICABLE. IL SUFFIT DE LA CHERCHER. AVEC L'AÉROJEEP CE NE SERA PAS TROP DIFFICILE.

"NOUS AVONS DÉCIDÉ D'ENVOYER STEVE ET TOSHIRO SURVOLER LA ZONE, PENDANT QUE NOUS RESTIONS POUR INSTALLER LE CAMPEMENT, CAR LE JOUR FINISSAIT."

"MAIS ILS SONT RENTRÉS BREDOUILLES."

RIEN! IL Y A PLUSIEURS PETITES CAVERNES MAIS AUCUNE NE PRÉSENTE DE TRACES DU PASSAGE RÉPÉTÉ DES IUMS. DEMAIN, IL FAUDRA ÉLARGIR LA ZONE DE RECHERCHES.

AH!

?

LÉO

31

33

TIENS, TIENS, NOTRE PETITE FUGUEUSE ! ET QUI OSE VENIR NOUS VOLER ! CE N'EST PAS BIEN, ÇA !...

S'IL VOUS PLAÎT ! ...J'AVAIS FAIM ! ÇA FAIT TROP LONGTEMPS QUE JE NE MANGE QUE DES FRUITS !

IUMM

!

NON, IUMMY ! NE T'APPROCHE PAS ! IL VA TE TUER !

ARRETEZ, DIXON !

BAISSEZ CETTE ARME, MONSIEUR DIXON ! ET LÂCHEZ LA FILLE !

JE N'AI PAS D'ORDRE À RECEVOIR DE VOUS ! SI CETTE BÊTE M'ATTAQUE, JE TIRE !

LÂCHEZ LA FILLE ! SI VOUS LÂCHEZ LA FILLE LA BÊTE NE VOUS FERA RIEN !

NON ! ELLE ÉTAIT EN TRAIN DE NOUS VOLER ! C'EST UNE REBELLE ! NOUS NE POUVONS PAS PERMETTRE QUE...

QU'EST-CE QUI SE PASSE ?

JE NE SAIS PAS !

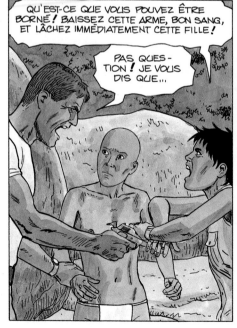

QU'EST-CE QUE VOUS POUVEZ ÊTRE BORNÉ ! BAISSEZ CETTE ARME, BON SANG, ET LÂCHEZ IMMÉDIATEMENT CETTE FILLE !

PAS QUES-TION ! JE VOUS DIS QUE...

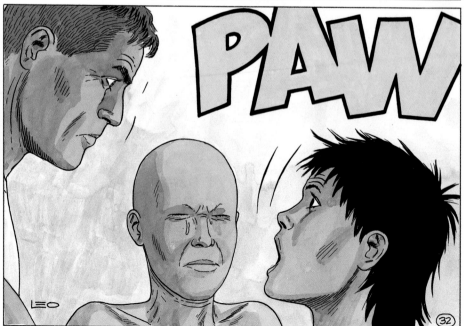

PAW

LEO

32

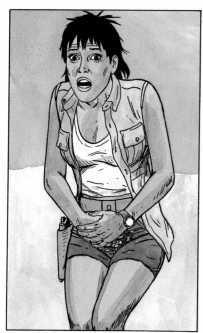

¡UMM

AAH

KIM !

KIM !

MON BRAS ! IL M'A CASSÉ LE BRAS !

NOOON !

MAIS ?... QU'EST-CE QUE... ?!

33

NON!...
NON!...
NON!...

IL L'A TUÉE!... IL L'A TUÉE!...

LIEUTENANT!...

LIEUTENANT! CALMEZ-VOUS!

AAH! MON BRAS EST CASSÉ!

ARRÊTEZ, LIEUTENANT!

PAK

AH!

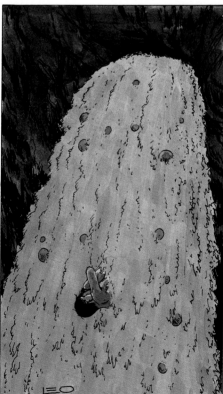

LEO

ELLE NE S'EST PAS NOYÉE. MAIS IL Y A LA BLESSURE ! ELLE SAIGNE ABONDAMMENT !

SEIGNEUR !

JE NE SAIS PAS QUOI FAIRE POUR T'AIDER, KIM !...

JE NE SAIS FOUTREMENT PAS QUOI FAIRE POUR T'AIDER !

LÉO

VOUS AVEZ FRAPPÉ UN HOMME BLESSÉ ET SANS DÉFENSE, LIEUTENANT ! UN MILITAIRE DOIT AVOIR PLUS DE SANG-FROID. C'EST IMPARDONNABLE DE VOTRE PART !

KIM, VOUS M'ENTENDEZ ? ...

(37)

ROOAAAARRR

BIP BIP

LIEUTENANT, ELLE A REÇU UNE BALLE DE GROS CALIBRE EN PLEIN VENTRE ET ILS ONT ÉTÉ AVALÉS PAR CE TOURBILLON TRÈS VIOLENT. LES CHANCES QU'ILS SOIENT ENCORE EN VIE, SURTOUT LA JEUNE FEMME, SONT NULLES !

MON CADRAN MONTRE QUE LE COMMUNICATEUR DE KIM FONCTIONNE ENCORE ET QU'IL EST IMMOBILE À QUELQUES DIZAINES DE MÈTRES À PEINE D'ICI...

JE VOIS. MAIS QU'EST-CE QUE ÇA PROUVE ? ÇA VEUT DIRE SIMPLEMENT QUE SON CORPS, SON CADAVRE, EST RESTÉ COINCÉ QUELQUE PART !

KIM, VOUS M'ENTENDEZ ?

STEVE, LE COLONEL A RAISON. LE COURANT EST TROP FORT, PERSONNE NE PEUT SURVIVRE DANS UN GOUFFRE SI ÉTROIT ! IL FAUT ADMETTRE LA RÉALITÉ : ILS SONT MORTS !

VENEZ ! ON S'EN VA. NOUS RENTRONS À LA MAISON. DIXON A BESOIN DE SOINS.

MOI, JE RESTE. JE VAIS ESSAYER DE TROUVER UNE AUTRE ENTRÉE POUR ARRIVER JUSQU'À KIM !

LIBRE À VOUS DE FAIRE LA CONNERIE QUE VOUS VOULEZ. NOUS, NOUS ALLONS RENTRER !

MAIS L'AÉROJEEP RESTE AVEC MOI...

QUOI ?! ET COMMENT VOULEZ-VOUS QUE NOUS REMONTIONS LA RIVIÈRE ? À LA RAME ? IL N'EN EST PAS QUESTION ! JE...

JE M'EN FOUS DE SAVOIR COMMENT VOUS ALLEZ REMONTER LA RIVIÈRE ! L'AÉROJEEP RESTE AVEC MOI !

OUGH !

QUE S'EST-IL PASSÉ ?!

IL S'EST PASSÉ QUE NOTRE LIEUTENANT COMMENCE À PERDRE LES PÉDALES...

LEO

38

IL EST VRAI, MADAME KOMAROVA, QUE NOTRE REQUÊTE EST INHABITUELLE. LAISSONS LE TEMPS AU LIEUTENANT DEMANDER L'AVIS DE SON SUPÉRIEUR...

C'EST QUE LE TEMPS PRESSE! ET IL Y A ENCORE TOUS LES PRÉPARATIFS POUR METTRE LE VAISSEAU EN CONDITION DE DÉPART!

RIEN, LIEUTENANT! NI LE GÉNÉRAL DUMONT, NI LE COLONEL CHEDID NE RÉPONDENT!

MAIS CE N'EST PAS POSSIBLE! ...

ÉCOUTEZ, JEUNE HOMME! CELA COMMENCE À DÉPASSER LES BORNES! VOULEZ-VOUS QUE J'APPELLE VALDOMIRO LOPEZ EN PERSONNE? JE PEUX LE FAIRE TRÈS FACILEMENT!

CALMONS-NOUS, CALMONS-NOUS! J'AI UNE PROPOSITION TRÈS SENSÉE À FAIRE...

VOUS LES LAISSEZ S'INSTALLER À BORD DU VAISSEAU, LIEUTENANT, POUR QU'ILS PUISSENT COMMENCER LES LONGUES PROCÉDURES DE MISE EN ROUTE. PENDANT CE TEMPS, VOUS CONTINUEREZ À ESSAYER DE CONTACTER VOS SUPÉRIEURS.

SI À LA FIN DES PRÉPARATIFS VOUS N'AVEZ PAS ENCORE DE RÉPONSE, ILS NE PARTIRONT PAS: ILS ATTENDRONT JUSQU'À CE QUE VOUS AYEZ OBTENU L'AVAL DE VOS SUPÉRIEURS. CELA VOUS CONVIENT? COMME ÇA ON NE PERD PAS DE TEMPS ET TOUT LE MONDE SERA CONTENT!

IL A CÉDÉ, PAD! IL A CÉDÉ! C'ÉTAIT LA PARTIE LA PLUS DÉLICATE.

JE N'AI JAMAIS DOUTÉ QUE ÇA MARCHERAIT, MADAME!

LEO

EMERGENCY EXIT

LIFT

TO HUB

MAIS IL VA ENTRER EN CONTACT AVEC LES HAUT GRADÉS ET JE NE PENSE PAS QUE CEUX-LÀ VONT GOBER AUSSI FACILEMENT NOTRE HISTOIRE DE LAISSEZ-PASSER...

IL NE VA PAS RÉUSSIR À JOINDRE SES SUPÉRIEURS DANS LES HEURES QUI VIENNENT, MARC! UNE AMIE À MOI QUI TRAVAILLE DANS LES COMMUNICATIONS VA L'EN EMPÊCHER! J'AI DES AMIS PARTOUT, TU SAIS...

CAUTION

GRAVITY WILL DECREASE

EMERG

OXYG

MAS

40

D'APRÈS MES CALCULS, NOUS ALLONS PASSER À LA HAUTEUR OÙ SE TROUVE NOTRE MODULE DANS QUELQUES HEURES... IL FERA NUIT...

...JE COMPTE ME LAISSER GLISSER VERS L'EAU À CE MOMENT-LÀ POUR GAGNER LA RIVE À LA NAGE. TU M'ACCOMPAGNES ?

QUOI ? MAIS COMMENT FERIONS NOUS POUR ESCALADER LA PAROI JUSQU'AU MODULE ? C'EST IMPOSSIBLE, SURTOUT LA NUIT. C'EST DE LA FOLIE, STEVE !...

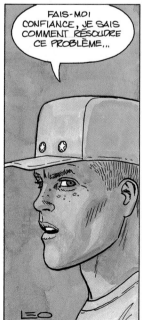

FAIS-MOI CONFIANCE, JE SAIS COMMENT RÉSOUDRE CE PROBLÈME...

TU VEUX RETOURNER LÀ-BAS, C'EST ÇA ? TU CONTINUES À PENSER QUE KIM ET HECTOR SONT VIVANTS...

JE NE SAIS PAS S'ILS SONT ENCORE VIVANTS... MAIS JE PRÉFÈRE CROIRE QUE OUI, ET JE VEUX TOUT FAIRE POUR LES TROUVER. TOUT !

LEO

TU VIENS AVEC MOI ?

...

D'ACCORD, STEVE, JE T'ACCOMPAGNE...

(41)

AH, KIM... ABANDONNÉS DANS CE TROU, SANS RIEN POUR SOIGNER TES BLESSURES, J'AI PEUR QUE TU NE PUISSES PAS T'EN SORTIR !...

C'EST VRAIMENT RAGEANT ! JE SUIS SÛR QUE DANS PEU DE TEMPS J'AURAIS EU LE COURAGE DE TE PARLER DE MON IMMENSE AMOUR POUR TOI...

...ET J'OSE ESPÉRER QUE TOI AUSSI TU RESSENTAIS QUELQUE CHOSE POUR MOI. J'AI REMARQUÉ CERTAINS REGARDS, CERTAINS SOURIRES QUI M'ONT DONNÉ DE L'ESPOIR...

TU SAIS, TU ES LA FEMME QUE JE CHERCHE DEPUIS MON ADOLESCENCE, KIM. LA FEMME DE MES RÊVES... JE COMMENÇAIS DÉJÀ À PENSER QU'ELLE N'EXISTAIT QUE DANS MA TÊTE...

ET VOILÀ QUE JE TE TROUVE ! POUR TE PERDRE AUSSITÔT ! AH QUE C'EST INJUSTE CE QUI NOUS ARRIVE, KIM ! JE SUIS SÛR QUE NOUS ALLIONS NOUS ENTENDRE À MERVEILLE, QUE NOUS ALLIONS FORMER UN COUPLE PARFAIT.

À QUI PARLES-TU, HECTOR ? JE NE T'AI JAMAIS ENTENDU PARLER AUTANT...

KIM ! TU T'ES RÉVEILLÉE ! COMMENT TE SENS-TU ?

MAL... TRÈS MAL ...

... MAIS JE NE VAIS PAS MOURIR, HECTOR...

BIEN SÛR QUE NON, KIM ! TU VAS GUÉRIR, JE TE LE PROMETS !

NON, JE PARLE SÉRIEUSEMENT... UNE PERSONNE NORMALE DANS MA SITUATION, AVEC CETTE BLESSURE AU VENTRE, EN PLUS DU PLONGEON DANS CE TOURBILLON, SERAIT DÉJÀ MORTE, HECTOR...

LEO (42)

...MAIS MOI, JE NE SUIS PAS UNE PERSONNE NORMALE. DEPUIS QUE J'AI COMMENCÉ À PRENDRE LES GÉLULES BLEUES DE LA MANTRISSE, JE NE SUIS PLUS UNE PERSONNE NORMALE : MON CORPS A UNE RÉSISTANCE AUX BLESSURES HORS DU COMMUN ... JE VAIS ME RÉTABLIR, HECTOR, C'EST SEULEMENT UNE QUESTION DE TEMPS.

MAIS OÙ SOMMES-NOUS ? COMMENT SE FAIT-IL QUE NOUS NE NOUS SOYONS PAS NOYÉS ?

PAR CHANCE, QUELQUE MÈTRES À PEINE À L'INTÉRIEUR DE LA ROCHE SE TROUVE CETTE SALLE IMMENSE OÙ L'EAU TOMBE DANS UN BASSIN NATUREL.

ET CETTE LUMIÈRE ? D'OÙ VIENT-ELLE ? Y A-T-IL UNE OUVERTURE VERS L'EXTÉRIEUR ?

NON, NON ! AUCUNE OUVERTURE. CETTE LUMIÈRE VIENT D'UNE PLANTE LUMINESCENTE, UNE SORTE DE CHAMPIGNON QUI FORME DES TÂCHES DISSÉMINÉES UN PEU PARTOUT. SANS ÇA NOUS SERIONS DANS LE NOIR TOTAL. JE N'OSE MÊME PAS IMAGINER ! ...

AS-TU DÉJÀ ENTENDU PARLER DE LA MANTRISSE D'ALDÉBARAN, HECTOR ? ET DE SES GÉLULES QUI EMPÊCHENT DE VIEILLIR ?

NON, KIM, JE NE SAIS PAS DE QUOI TU PARLES.

ALORS JE VAIS TE RACONTER ... MAIS J'AI SOIF ET J'AI FAIM. SI TU ALLAIS CHERCHER UN DE CES INNOMBRABLES FRUITS QUI TOMBENT DANS LE BASSIN ? ...

COMBIEN DE TEMPS IL TE FAUT ENCORE, MARC ?

C'EST UNE QUESTION DE MINUTES À PRÉSENT, ALEXA. C'EST UN ORDINATEUR ULTRA PERFORMANT !

VOILÀ ! C'EST FAIT ! MAINTENANT, POUR POUVOIR POURSUIVRE, IL NOUS FAUT LE CODE CONFIDENTIEL ET LA CLÉ.

LE LIEUTENANT ARRIVE ...

LÉO

ALORS, LIEUTENANT?

RIEN! PAS MOYEN DE TROUVER UN DES OFFICIERS SUPÉRIEURS! JE N'ARRIVE PAS À COMPRENDRE!...

BON, VOICI LA CLÉ ET LE CODE...

AH, TRÈS BIEN, LIEUTENANT! COMME ÇA ILS POURRONT POURSUIVRE LA PROCÉDURE...

C'EST CELA... MAIS JE RESTE AVEC VOUS, JE VAIS ATTENDRE LA COMMUNICATION ICI. VOUS COMPRENEZ, JE NE PEUX PAS VOUS LAISSER SEULS DANS LE VAISSEAU APRÈS L'AVOIR DÉBLOQUÉ...

BIEN SÛR, LIEUTENANT! NOUS POURRIONS PARTIR ET VOUS METTRE DANS UNE SITUATION TRÈS INCONFORTABLE!...

HA HA HA HA

BIEN... EN ATTENDANT, ACCEPTERIEZ-VOUS UN PETIT BONBON AU CHOCOLAT? ILS VIENNENT DE BELGIQUE, SUR TERRE!

AH!... VOLONTIERS, MONSIEUR! MERCI.

HUM! VRAIMENT TRÈS B...

RRRRR... FFFFF

LEO

44

COMMENT AVEZ-VOUS FAIT, PAD ? VOUS ÊTES INCROYABLE !

OH, UN PEU DE VENIN DE MANGANERA DANS UN BONBON ET LE TOUR EST JOUÉ... C'EST UN SOMNIFÈRE FOUDROYANT ! HI, HI, HI !...

RRRR FFFFF...

VENEZ, MON AMI. IL NE FAUT PAS RESTER LÀ.

LIEUTENANT ? J'AI ENFIN RÉUSSI ! LE GÉNÉRAL DUMONT EST EN LIGNE...

ÇA Y EST, VOUS POUVEZ FERMER LE SAS ET PARTIR ! ILS ONT RÉUSSI À ÉTABLIR LA COMMUNICATION AVEC UN HAUT GRADÉ : PARTEZ TOUT DE SUITE AVANT QUE ÇA SE CORSE !

EMERGENCY

MERCI POUR VOTRE AIDE PRÉCIEUSE, PAD ! ET N'OUBLIEZ PAS : TOUTE CETTE AFFAIRE EST DE MON ENTIÈRE RESPONSABILITÉ ! J'AI LAISSÉ UNE LETTRE EXPLIQUANT QUE VOUS M'AVEZ AIDÉE DE BONNE FOI. ALLEZ, NOUS NOUS REVERRONS DANS QUELQUES MOIS... ET KIM SERA AVEC NOUS, JE VOUS LE PROMETS !

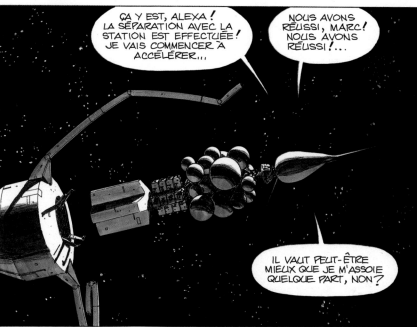

ÇA Y EST, ALEXA ! LA SÉPARATION AVEC LA STATION EST EFFECTUÉE ! JE VAIS COMMENCER À ACCÉLÉRER...

NOUS AVONS RÉUSSI, MARC ! NOUS AVONS RÉUSSI !...

IL VAUT PEUT-ÊTRE MIEUX QUE JE M'ASSOIE QUELQUE PART, NON ?

PAD ! VOUS N'AVEZ PAS QUITTÉ LE VAISSEAU ?!

!

BIEN SÛR QUE NON, MADAME ! POUR RIEN AU MONDE JE N'AURAIS RATÉ UNE TELLE AVENTURE ! JE N'EN PEUX PLUS DE LA VIE MONOTONE ET BIEN RANGÉE QUE JE MÈNE ! JE NE SUIS PAS HABITUÉ À ÇA ! AVEC MOI, IL FAUT QUE ÇA BOUGE ! ET PUIS...

ET PUIS J'AIME BIEN LA PETITE KIM. C'EST IMPENSABLE QUE JE NE VOUS AIDE PAS À LA RETROUVER ! IMPENSABLE !

45

JE N'EN REVIENS PAS, KIM! CETTE CRÉATURE, CETTE MANTRISSE ET SES GÉLULES QUI TRANSFORMENT COMPLÈTEMENT LE FONCTIONNEMENT DE TON ORGANISME!...

C'EST... C'EST UN PEU INQUIÉTANT, NON? PARFOIS JE ME RÉVEILLE LA NUIT ET JE ME DIS: KIM, TU N'ES PLUS UNE PERSONNE NORMALE! TU ES UNE ABÉRRATION, UNE ESPÈCE DE... DE MONSTRE...

NON, TU N'ES PAS UN MONSTRE, CE N'EST PAS QUELQUE CHOSE DE NÉGATIF, AU CONTRAIRE! SI CE N'ÉTAIT PAS CELA, TU SERAIS MORTE EN CE MOMENT, KIM!

ÇA C'EST VRAI!...

ET TU ES SÛRE QU'IL EXISTE UNE AUTRE MANTRISSE ICI SUR BÉTELGEUSE?

TOUT À FAIT! LES SOUPÇONS QUE NOUS AVIONS AU DÉPART SE SONT CONFIRMÉS. MAIS ICI ELLE SE PRÉSENTE SOUS DES FORMES BIEN DIFFÉRENTES QUI RESTENT À DÉCOUVRIR.

ET LES IUMS? ILS ONT QUELQUE CHOSE À VOIR AVEC ELLE?

J'EN SUIS PERSUADÉE.

HECTOR...

HUM? ...

LEO
2001/2002

COMMENT ALLONS-NOUS FAIRE POUR SORTIR D'ICI?...

FIN DU TOME 3

46

48

DU MÊME AUTEUR :
KENYA
SCÉNARIO : RODOLPHE & LEO

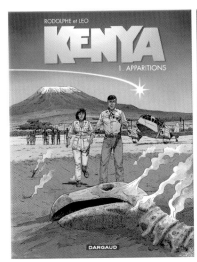 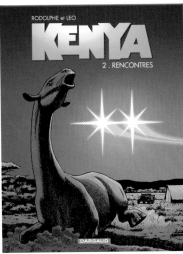 

Une légende ancienne prétend
que dans les contreforts du Kilimandjaro,
le plus haut sommet d'Afrique,
sont enfouies des choses vieilles comme le monde,
des choses terribles qu'il ne faut pas réveiller…

	TERRE	ALDÉBARAN-4	BÉTELGEUSE-6
Diamètre	12 756 km	13 127 km	11 853 km
Gravité à la surface	1	1,2	0,89
Longueur de l'année	365 jours	369 jours	355 jours
Longueur du jour	23 h 56 min	24 h 36 min	23 h 45 min
Pourcentage mer/terre	70/30	91/09	11/89
Hauteur maximale	8848 m (Everest)	4 780 m (Saterjee)	9 745 m (Van Gogh)
Profondeur maximale	11 520 m	26 700 m	5 360 m
Nombre de satellites	1	2	aucun

BÉTELGEUSE

ORION